C0-AZS-061

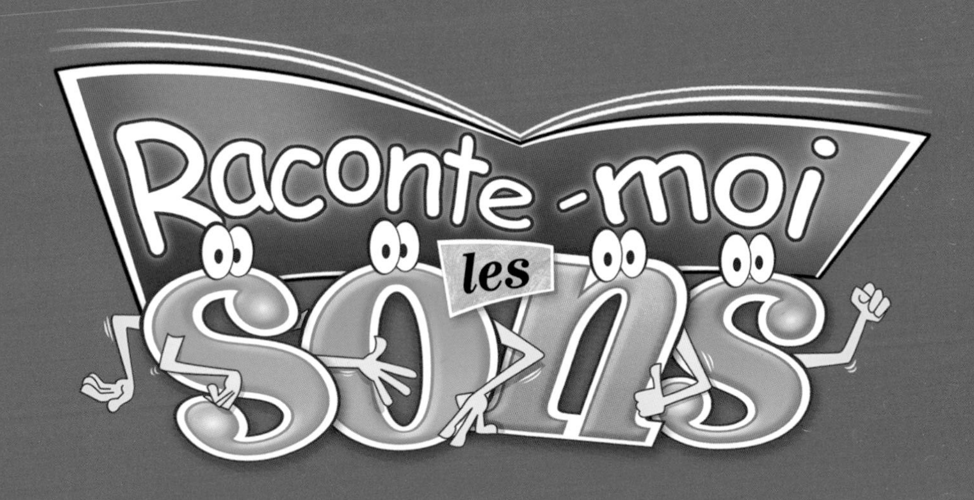

De l'école à la maison

TOME 2

Raconte-moi les sons : de l'école à la maison

Josée Laplante, orthophoniste

Direction et coordination du projet : Anik Theunissen-Delisle
Illustration des histoires : Gigi Wenger
Conception du logo Raconte-moi les sons *:* Ose Design
Conception graphique et infographie : Francine Bélanger
Révision linguistique : Pascal Héroux et Nathalie Vallière

5800, rue Saint-Denis, bureau 900
Montréal (Québec) H2S 3L5 Canada
Téléphone : 514 273-1066
Télécopieur : 514 276-0324 ou 1 800 814-0324
caractere@tc.tc
www.atouts.septembre.com

ISBN 978-2-89471-439-3 (imprimé)
ISBN 978-2-89471-748-6 (pdf)

Dépôt légal : 2e trimestre 2013
Bibliothèque et Archives nationales du Québec
Bibliothèque et Archives Canada

Imprimé au Canada

1 2 3 4 5 ITIB 22 21 20 19 18

Gouvernement du Québec – Programme de crédit d'impôt pour l'édition de livres – Gestion SODEC.

Ce projet est financé en partie par le gouvernement du Canada

Table des matières

Avant-propos

Vous êtes parent et vous aimeriez accompagner un jeune enfant dans son apprentissage de la lecture? Alors ce livre s'adresse à vous!

L'apprentissage débute avec le livre **Raconte-moi l'alphabet** ***De l'école à la maison*** (histoires de a à z) et se poursuit avec les deux tomes de **Raconte-moi les sons** ***De l'école à la maison*** (regroupant tous les autres sons comme é, è, ou, oi, an, ch, etc.).

Pour apprendre à lire par décodage, l'enfant doit d'abord comprendre que chaque lettre (ou regroupement) représente un son. Il arrive ensuite à les combiner en syllabes et en mots. Cela dit, la lecture est un processus complexe et **il faut** aussi que l'enfant développe d'autres habiletés pour devenir un lecteur vraiment compétent.

Ainsi, pour familiariser les jeunes au décodage, nous leur proposons une approche novatrice **qui facilite grandement la maitrise de la correspondance sons-lettres** chez **tous les enfants** qui s'intéressent **à la lecture et à l'écriture** ou qui sont **en train d'en faire l'apprentissage**.

Il suffit de feuilleter ce livre et de s'attarder à quelques histoires et aux images pour comprendre dans quelle mesure cette approche peut véritablement favoriser la mémorisation du son des lettres, que ce soit à l'école, à la maison ou pour assurer une continuité entre les deux milieux. Les enfants visuels s'aideront des images, tandis que les plus auditifs retiendront davantage les histoires. Et si vous les lisez à haute voix en y joignant le geste approprié, vous offrirez un soutien supplémentaire aux enfants plus sensibles aux repères visuels. C'est simple, concret, efficace; et tous auront beaucoup de plaisir à découvrir ce drôle de village qui résonne bien dans l'imaginaire, tout en s'apparentant au quotidien de l'enfant.

En y réfléchissant bien, cette approche va dans le même sens que les recherches menées dans le domaine et qui ont largement démontré l'importance de prendre en compte la diversité des modes d'apprentissage chez les individus en leur proposant différentes portes d'entrée. Nous avons ici des repères à la fois narratifs, visuels, auditifs et gestuels! Même sur le plan théorique, tout s'inscrit dans une logique!

En outre, cet apprentissage se fait de façon ludique! Que demander de plus?

Josée Laplante, orthophoniste

Comment utiliser Raconte-moi les sons De l'école à la maison

Nul besoin d'être spécialiste pour tirer pleinement profit des histoires de ces livres, mais il faut tout de même garder certaines considérations à l'esprit et respecter quelques règles :

1. Précisons d'abord que le livre **Raconte-moi les sons** ***De l'école à la maison*** (en deux tomes qui peuvent se lire indépendamment) fait suite aux histoires de **Raconte-moi l'alphabet** ***De l'école à la maison***, qui est ici **un préalable pour bien comprendre l'approche et les personnages du village des sons**.

2. La séquence des histoires du livre ne tient pas compte de la fréquence des sons-lettres présents en lecture ni de l'ordre alphabétique. Vous pouvez, au choix, les aborder dans l'ordre du livre ou suivre la même séquence qu'à l'école, si vous souhaitez plutôt soutenir l'enseignement systématique en classe. Certaines histoires doivent nécessairement être racontées avant d'autres. La séquence du livre le prévoit et l'enseignement à l'école en tient compte aussi (on voit, par exemple, i avant y, g avant gu, o avant au-eau, etc.).

3. Les personnages du village des sons portent le nom de la lettre qu'ils représentent. Les enfants feront connaissance avec la petite **g** qui a toujours soif! ou encore avec **i** la souris acrobate et sa cousine **y**. Il importe d'employer le nom de la lettre pour les nommer. Par contre, **dès qu'il est question d'un son, il est très important de le produire phonétiquement de façon rigoureuse**. Ainsi, le bruit que fait la petite **g** lorsqu'elle boit doit s'entendre « g-g-g » et non pas « gé-gé-gé » ou « gup-gup-gup » ou tout autre onomatopée semblable. Sinon, l'enfant risque de ne pas retenir précisément ce qu'on veut lui faire apprendre.

4. Parmi les personnages, les animaux et les objets du village des sons, interviennent parfois de petits spectateurs silencieux qui se contentent d'observer la scène. Ceux-ci correspondent en fait aux lettres muettes. C'est le cas, par exemple, de la lettre **e** dans la combinaison « **eau** ». Dans les histoires où il en est question, ces lettres sont représentées par des yeux. La notion de spectateur simplifie l'apprentissage puisqu'au lieu de percevoir les regroupements « **au** » et « **eau** » comme des entités différentes, l'enfant comprend, grâce à ce spectateur, que « **eau** », c'est la même chose que « **au** ».

5. Comme c'est le cas dans tout apprentissage, on ne doit pas s'attendre à ce que l'enfant retienne du premier coup tous les sons et les lettres ou qu'il soit en mesure d'utiliser spontanément ses acquis en lecture. En plus de lire les histoires du livre, vous trouverez peut-être intéressant :
   - de jouer l'histoire avec l'enfant;
   - de la lui faire raconter dans ses propres mots;
   - de mimer le geste proposé pour accompagner les histoires;
   - de profiter de vos activités quotidiennes avec l'enfant pour cibler une lettre (ou regroupement) dont l'enfant connait l'histoire dans les mots écrits (par exemple : panneaux indiquant le nom des rues, affiches publicitaires, circulaires d'épicerie, textes sur les boites de jeux/céréales/biscuits, livres, recettes, magazines, clavier d'ordinateur, etc.).

Bonne lecture!

Et si jamais l'envie vous prend d'approfondir la lecture avec le jeune, vous trouverez utiles les trois cahiers *Enquêtes au village des sons* (Les Éditions Caractère).

Ordre de présentation des lettres

Les histoires du livre **Raconte-moi les sons *De l'école à la maison*** font suite à celles de **Raconte-moi l'alphabet *De l'école à la maison***. Même si ce n'est pas indispensable, il est préférable de débuter avec ce dernier pour mieux comprendre l'approche proposée.

La séquence des histoires du livre tient compte du fait que **certaines histoires doivent nécessairement être racontées avant d'autres**. C'est pour cette raison que le livre propose un ordre de présentation. **Vous pouvez, au choix, les aborder dans l'ordre du livre ou dans un autre ordre, mais il est déconseillé de les lire de façon aléatoire.** Voici des indications qui pourraient vous guider, dans l'éventualité où vous ne suivriez pas la séquence du livre.

À raconter **en premier lieu**, dans l'ordre de votre choix, mais vous devez respecter la séquence des regroupements.

Chaque ligne représente un regroupement.

f - ph
g - gu - g [j] - gn
i - y
in - im - ain - ein - aim
ill - il
o - au - eau
oi
on - om
ou
s [z]
un - um

À raconter, **seulement après avoir lu** les histoires précédentes, dans l'ordre qui vous convient.

ien
tion
yn - ym (dans l'ordre de ce regroupement)

a i è o u

Histoires du Village des Sons

La pompe brisée

Au village des sons, tous les enfants vont voir monsieur **f** lorsque les pneus de leur bicyclette ont besoin d'être regonflés. Monsieur **f** est toujours heureux de rendre service et, d'ailleurs, il n'y a que lui au village qui possède une pompe à bicyclette.

« Monsieur **f**, les pneus de ma bicyclette sont tout mous. Pouvez-vous les regonfler? demandent les enfants.

— Bien sûr, mon petit, viens! »

Monsieur **f** installe sa pompe et... « fff-fff-fff ». En quelques minutes, les pneus sont regonflés. La semaine dernière, une poignée de la pompe s'est cassée. Mais ça ne fait rien. La pompe fonctionne quand même très bien et fait toujours « fff-fff-fff ».

Regarde la pompe avec sa poignée cassée. Elle a la forme de la lettre **f**. Quand tu verras cette lettre, pense à monsieur **f** qui gonfle les pneus des bicyclettes : « fff-fff-fff ».

La lettre **f** fait le son [f].

Suggestion de geste : Faire semblant d'actionner une petite pompe à bicyclette tout en produisant le son « **f-f-f-f** ».

Un drôle de tour

ph

Te souviens-tu de monsieur **f** qui regonfle les pneus des bicyclettes avec sa pompe : « fff-fff-fff » ? Il aime bien rendre service, monsieur **f**, mais comme tu le verras dans cette histoire, il aime bien jouer des tours aussi.

Un jour d'Halloween, au village des sons, monsieur **f** a envie de s'amuser. Il décide de jouer un tour aux enfants qui viendront chez lui pour avoir des friandises. « Mais quel tour pourrais-je bien leur jouer ? » se demande-t-il. Une idée lui vient : « Je vais me déguiser en pompe à bicyclette fantôme ! »

Tout content de son idée, monsieur **f** trouve dans l'armoire un vieux drap déchiré. « Je vais recoudre tout ça avec du fil noir et percer deux petits trous pour les yeux, se dit monsieur **f**. Je parie que ça fera un très joli fantôme. » Son ouvrage fini, monsieur **f** sort dans le jardin et se cache sous le drap avec sa pompe à bicyclette. Regarde le résultat sur l'image. C'est drôle, les coutures en fil noir ont la forme des lettres **ph**.

Quelques minutes plus tard, plusieurs enfants arrivent chez monsieur **f** dans leur costume d'Halloween : Philippe, Sophie, Raphaël, Stéphanie, Joseph… Dès qu'il les aperçoit, monsieur **f**, toujours caché sous son drap, avance de quelques pas en faisant marcher sa pompe à bicyclette : « fff-fff-fff ». Les enfants éclatent de rire. « On sait que c'est vous, monsieur **f**, disent-ils en riant. Sortez de là-dessous et donnez-nous plutôt des bonbons ! » Monsieur **f** est bien déçu. « Je voulais vous jouer un tour, dit-il, mais c'est raté, on dirait bien. »

Quand tu verras les lettres **ph**, ne te laisse pas jouer de tour, toi non plus. Rappelle-toi que c'est monsieur **f** qui est caché là-dessous avec sa pompe à bicyclette qui fait « fff-fff-fff ».

Les lettres **ph** ensemble font le son [f].

Suggestion de geste : Comme pour le « **f** », c'est-à-dire faire semblant d'actionner une petite pompe à bicyclette tout en produisant le son « **f-f-f** ».

À boire!

Au village des sons, il y a une petite fille qui a toujours soif. Elle s'appelle **g**. Elle n'est pas malade, mais elle a tout le temps soif et demande à boire du matin au soir.

« De l'eau, s'il vous plait! » demande-t-elle. Et on l'entend boire son eau : « g-g-g-g-g, ça fait du bien! » Quelques minutes plus tard, elle demande du jus : « g-g-g-g-g, c'est bon! » Elle a à peine fini de boire son jus qu'elle demande du lait : « g-g-g-g-g, j'en veux encore s'il vous plait! » Et c'est comme ça toute la journée.

Vois-tu la lettre **g** cachée dans le dessin? Quand tu verras cette lettre, pense à notre amie **g** qui boit tout le temps : « g-g-g-g-g ».

La lettre **g** fait le son [g].

Suggestion de geste : Faire semblant de boire en accentuant le bruit de déglutition « g-g-g-g ».

Deux verres d'affilée!

Tu te souviens de la petite **g** qui a toujours soif? Elle boit du matin au soir : «g-g-g-g-g».

Parfois, elle a tellement soif qu'elle boit deux verres d'eau d'affilée, comme sur l'image. Regarde bien! Elle est en train d'en boire un et son ami **e** en tient un autre qu'elle boira tout de suite après à grandes gorgées : «g-g-g-g-g». **e** et sa souris **i** attendent qu'elle ait fini pour retourner dehors avec elle.

As-tu remarqué la forme du verre que l'ami **e** offre à **g**? Il ressemble à un **u**. Tu verras parfois la lettre **u** tout de suite après un **g**. Ce **u** ne parle pas lorsqu'il y a un **e** ou un **i** juste à côté. C'est juste un verre d'eau pour notre amie **g**.

Les lettres **gu** font le son [g] lorsqu'il y a un **e** ou un **i** à côté.

Suggestion de geste : Comme pour le «**g**», c'est-à dire faire semblant de boire en accentuant le bruit de déglutition «**g-g-g-g**».

Un nouveau rasoir

g [j]

Te souviens-tu pourquoi, au village des sons, tous les papas ont les joues bien douces? Eh bien, imagine-toi qu'un beau matin, le papa de **e** brise son rasoir qui lui fait les joues si douces. « Je vais devoir m'acheter un nouveau rasoir électrique, dit-il. Sinon, j'aurai bientôt les joues piquantes comme un porc-épic! »

Plus tard dans la journée, **e** regarde une revue avec **i**, sa petite souris bien aimée. En feuilletant les pages, que voient-ils? Une publicité sur un nouveau modèle de rasoir! On dit qu'il est si efficace qu'il pourrait rendre un porc-épic aussi doux qu'une souris. « Voilà le rasoir qu'il faut à papa, dit **e** à la souris **i**, allons vite le lui montrer. » Depuis ce jour, le papa de **e** se rase tous les matins avec un rasoir comme celui de la publicité. Il rase encore mieux que son ancien rasoir, mais il fait le même bruit : « jjjjjjjjjj ».

As-tu remarqué qu'on voit la lettre **g** dans le rasoir que l'ami **e** montre à son papa en tenant **i** dans sa main? C'est pour t'aider à te souvenir que la lettre **g** fait le bruit « jjjjjjjjjj » du rasoir lorsqu'un **e** ou un **i** est juste à côté.

La lettre **g** fait le son [j] si un **e** ou un **i** est juste à côté.

Suggestion de geste : Comme pour le « j », c'est-à dire imiter un homme qui se rase la barbe avec un rasoir électrique tout en faisant « jjjjjj »

Les petites grognonnes

Il arrive parfois que deux personnes soient incapables d'être amies l'une avec l'autre. C'est le cas de **g** et **n**, deux petites filles du village des sons. Dès qu'elles se retrouvent ensemble, elles se mettent à se faire des grimaces pour se moquer l'une de l'autre. Elles font «**gn-gn-gngn-gn... gn-gn-gngn-gn**». On a beau essayer de les raisonner pour qu'elles deviennent amies, il n'y a rien à faire. Le pire, c'est qu'elles sont voisines. Alors, tu imagines, on les entend souvent les petites grognonnes qui font «**gn-gn-gngn-gn... gn-gn-gngn-gn**».

Vois-tu les lettres **gn** dans le dessin? Quand tu verras ces deux lettres ensemble, rappelle-toi les petites grognonnes qui se font des grimaces: «**gn-gn-gngn-gn... gn-gn-gngn-gn**».

Les lettres **gn** ensemble font le son [**gn**].

Suggestion de geste: Prendre une expression grimaçante et placer le pouce contre la tempe en agitant les doigts tout en faisant «**gngngngn-gn**» d'un ton chantant (comme lorsqu'un enfant se moque).

La souris acrobate

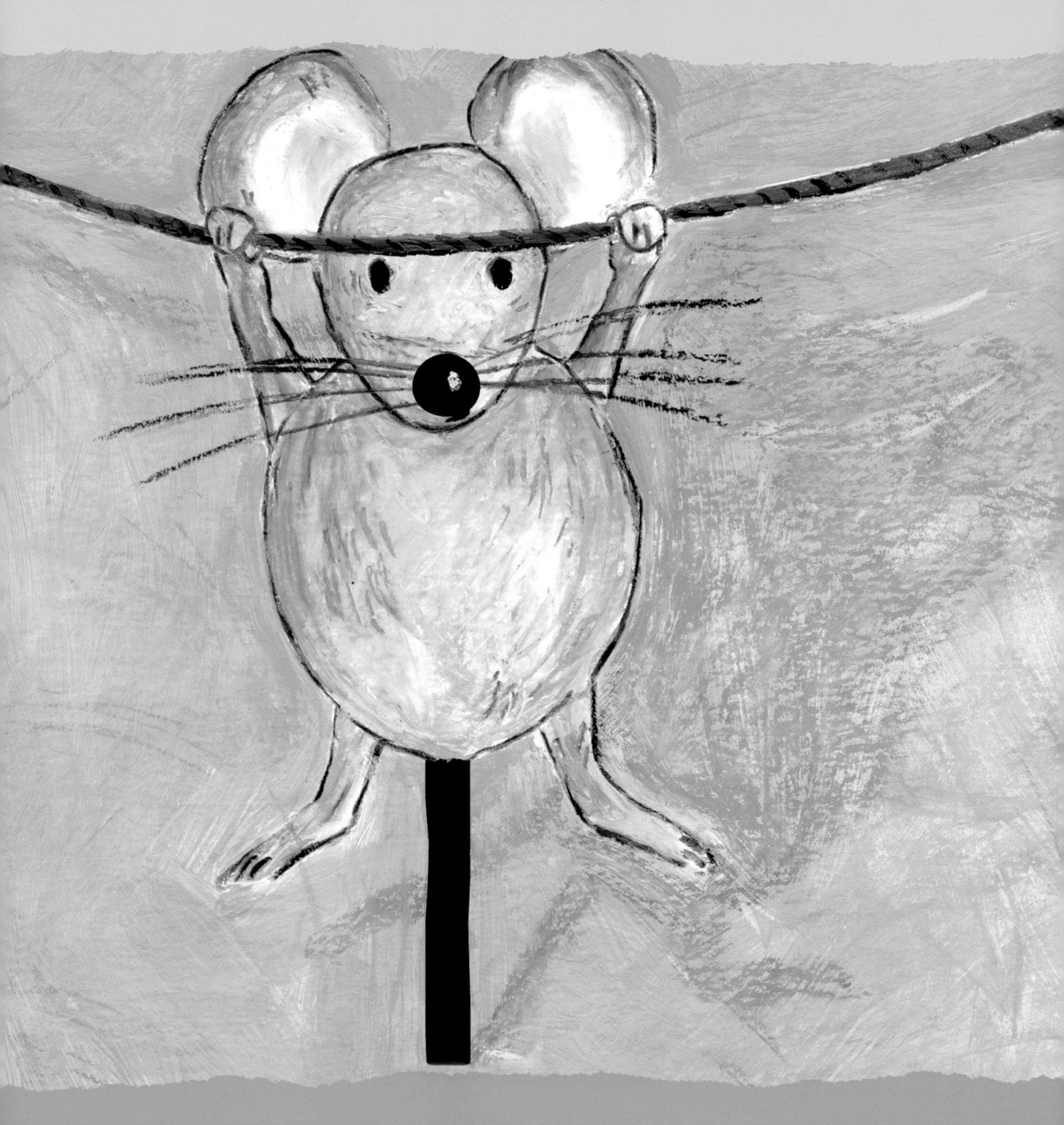

Au village des sons, il y a une petite souris acrobate qui s'appelle **i**. Elle sait faire toutes sortes d'acrobaties. Son meilleur numéro, c'est quand elle se tient en équilibre sur une corde. C'est très difficile pour une souris! Elle s'agrippe à la corde de toutes ses forces en faisant son petit cri de souris: «i-i! i-i!» Un jour, elle a failli tomber. «iiiiiiiiiiiii» ont crié les spectateurs.

Observe bien le museau et la queue de la souris acrobate. Ils forment la lettre **i**. Quand tu verras cette lettre, pense à la petite souris qui fait des acrobaties en poussant des petits cris: «i-i! i-i!»

La lettre **i** fait le son [i].

Suggestion de geste: Imiter la position de la souris suspendue à la corde et faire son cri en exagérant l'étirement des lèvres pour faire «**i-i, i-i**». Pour le passage avec les cris des spectateurs, mettre les mains de chaque côté de la tête en rentrant les épaules, comme pour exprimer de la frayeur face à un danger «**iiiiiii!**».

Une cousine timide

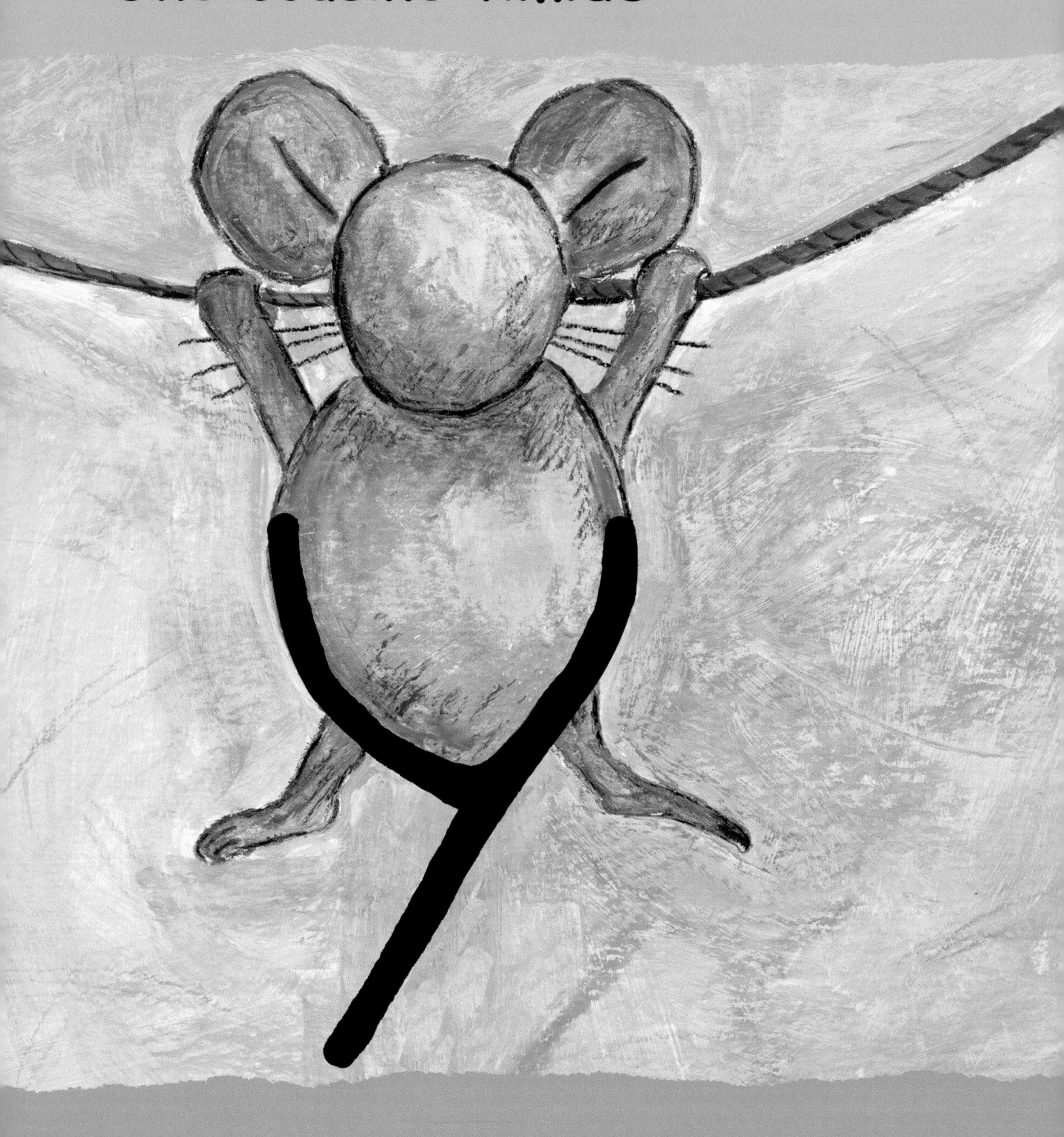

La souris acrobate a une cousine qui est très bonne, elle aussi, pour faire toutes sortes d'acrobaties. Elle s'appelle **y**.

y sait faire des numéros très dangereux, mais elle est très timide. Lorsqu'elle donne un spectacle, elle est tellement gênée qu'elle tourne le dos aux spectateurs. On la voit seulement de dos. Mais on entend quand même son petit cri de souris. Comme toutes les souris, elle fait : « i-i! i-i! i-i! »

Observe bien la souris **y** lorsqu'elle tourne le dos. Vois-tu la lettre **y**? Quand tu verras cette lettre, rappelle-toi la souris timide qui fait « i-i! » comme toutes les souris. Dans certains mots, la lettre **y** fait un seul cri de souris. Dans d'autres mots, elle en fait deux.

La lettre **y** fait le son [i] ou [i-i].

Suggestion de geste : En tournant le dos à l'enfant, imiter la position de la souris suspendue à la corde et faire son cri « **i-i, i-i** ».

Le jeu-questionnaire (1)

As-tu déjà regardé un jeu-questionnaire à la télévision? On pose des questions aux participants et... «in!» Le premier qui appuie sur un bouton a le droit de répondre. S'il a la bonne réponse, il gagne des points.

L'autre jour, un petit garçon du village des sons a participé à un jeu de ce genre à la télévision. Il connaissait toutes les réponses et il était toujours le premier à appuyer sur le bouton. Ça faisait «in» et, en même temps, une petite lumière s'allumait.

«Comment appelle-t-on le bébé de la poule?

— in! entendait-on aussitôt que notre ami appuyait sur le bouton. C'est le poussin.

— Quel animal de la ferme a les plus longues oreilles?

— in! entendait-on encore. C'est le lapin.»

C'est lui, bien sûr, qui a gagné la partie!

Vois-tu les lettres **in** dans le dessin? Quand tu verras ces deux lettres ensemble, rappelle-toi qu'elles font le son [in], comme lorsque notre ami appuyait sur le bouton.

Les lettres **in** ensemble font le son [in].

Suggestion de geste : Faire semblant d'appuyer sur un bouton avec la paume de la main tout en faisant le son «**in**».

Le jeu-questionnaire (2)

Dans un autre jeu-questionnaire à la télévision, les joueurs étaient en équipe de deux. Un petit garçon et sa sœur jouaient dans l'équipe nº 1. L'équipe nº 2, juste à côté, était formée des amis **b** et **p** .

Le frère et la sœur ont facilement gagné la partie. Ils connaissaient toutes les réponses et ils étaient toujours les premiers à appuyer sur le bouton. « in! »

« Quel est le contraire du mot possible?

— in! Impossible, répondent nos deux amis.

— Quel est le contraire du mot patient?

— in! Impatient, répondent-ils. »

L'équipe de **b** et **p** n'a pas répondu à une seule question!

Vois-tu les lettres **im** dans le dessin? Ces deux lettres ensemble font aussi le son [in]. C'est juste que le **m** remplace le **n** lorsque **b** ou **p** sont juste à côté.

Les lettres **im** ensemble font le son [in].

Suggestion de geste : Faire semblant d'appuyer sur un bouton avec la paume de la main tout en faisant le son « **in** ».

Les téléspectateurs

Tu sais déjà que, dans les mots, il peut arriver que certaines lettres ne parlent pas. On dirait qu'elles sont juste là pour regarder les autres, comme des spectateurs. C'est justement ce qui se produit quand tu vois une voyelle devant **in** ou **im**. Pour t'en souvenir, imagine cette voyelle avec de petits yeux en train de regarder le jeu-questionnaire à la télévision. C'est normal qu'un spectateur ne parle pas en regardant la télévision!

La prochaine fois que tu verras une voyelle placée devant **in** ou devant **im**, ne t'en occupe pas, puisqu'elle ne dit rien. Imagine-la seulement avec de petits yeux qui regardent nos amis lorsqu'ils appuient sur le bouton. Te souviens-tu? Ça fait «in!»

Les groupes de lettres **ain**, **ein** et **aim** font le son [in].

Suggestion de geste: Comme pour le «**in**», c'est-à-dire faire semblant d'appuyer sur un bouton avec la paume de la main tout en faisant le son «**in**».

La comptine

À l'école du village des sons, l'enseignante a demandé aux élèves d'apprendre par cœur une comptine. Ça s'appelle *Mon chien dalmatien.*

« Avez-vous bien appris votre comptine? demande l'enseignante à ses élèves. Qui veut la réciter devant la classe?» Tous les élèves voudraient y aller, mais l'enseignante choisit les amis **ien**. «Placez-vous près du tableau, dit l'enseignante. On vous écoute.»

Nos amis commencent à peine à réciter la comptine que le pauvre **e** est pris d'un urgent besoin d'aller aux toilettes et part en courant.

« Bon, dit l'enseignante, on va remplacer **e** par quelqu'un d'autre. Qui veut prendre sa place?
— Moi, moi! dit une élève qui s'appelle **i**, elle aussi, en levant la main. »

C'est ainsi qu'au lieu d'entendre **ien** réciter la comptine, les amis de la classe ont entendu **iin**. Ils ont bien fait ça. Tout le monde les a applaudis.

Regarde les deux dessins. Dans le premier, on voit les amis **ien** juste avant que **e** quitte la classe pour aller aux toilettes. Dans le deuxième, on voit que **e** a été remplacé par **i**.

Alors, quand tu verras ensemble les lettres **ien**, rappelle-toi que **e** a été remplacé par **i** pour réciter la comptine et que c'est [i˘in] qu'on a entendus.

Les lettres **ien** ensemble font le son [i˘in].

Suggestion de geste : Mimer le « **e** » de l'histoire debout devant la classe et tenant ses camarades par la main pour réciter la comptine et se tortiller pour simuler un besoin pressant d'aller aux toilettes.

Une gentille bête

Au village des sons, il parait qu'il existe une bête bizarre avec de drôles de petites antennes sur la tête. Tout le monde l'appelle **ill** à cause, justement, de la forme de ses antennes. As-tu remarqué sur le dessin qu'elles forment les lettres **ill**?

ill fait un peu peur et on pourrait croire qu'il s'agit d'une bête dangereuse, mais, en réalité, elle est très gentille. Lorsque les habitants du village la flattent, elle cligne des yeux en faisant un drôle de petit bruit, comme ceci : « i˘e, i˘e, i˘e ». Aimerais-tu flatter **ill**, toi aussi? Ça la ferait surement cligner des yeux en faisant « i˘e, i˘e, i˘e », comme elle le fait toujours.

Alors, quand tu verras les lettres **ill** ensemble, pense au son que fait la gentille **ill** lorsqu'on la flatte. « i˘e, i˘e, i˘e »

Les lettres **ill** ensemble font le son [i˘e].

Suggestion de geste : Faire dépasser, selon le cas, deux (**il**) ou trois (**ill**) doigts de l'arrière de la tête pour représenter les antennes du personnage. Cligner des yeux avec une moue de plaisir tout en faisant le son « i˘e, i˘e, i˘e ».

Les promenades en landau

Quand elle est née, **ill**, la gentille petite bête du village des sons, n'avait que deux antennes. Comme tous les bébés, elle adorait se faire promener en landau. Le plus souvent, c'était **a** ou bien **e** qui allait la chercher pour la promener. Pour aller plus vite, **e** accrochait souvent le landau à la charrette **u**. C'était bien comique de les voir passer dans le village! Pendant qu'on la promenait, notre gentille bête clignait des yeux de plaisir en faisant son drôle de petit bruit: «i˘e, i˘e, i˘e, i˘e». Ne le dis à personne, mais il parait même que le vieux fantôme du village allait veiller gentiment sur elle pendant la nuit. Notre vieux fantôme était tout ému lorsque, pendant son sommeil, la gentille bête faisait son drôle de petit bruit: «i˘e, i˘e».

As-tu remarqué que les antennes de la gentille bête lorsqu'elle était bébé forment les lettres **il**? Quand tu verras ces lettres ensemble après **a**, **e**, **eu** ou encore, après **ou**, pense au son que faisait la petite bête lorsque ses amis s'occupaient d'elle. «i˘e, i˘e, i˘e ».

Les lettres **il** ensemble après **a**, **e**, **eu**
ou encore **ou** font le son [i˘e].

Suggestion de geste: Faire dépasser, selon le cas, deux (**il**) ou trois (**ill**) doigts de l'arrière de la tête pour représenter les antennes du personnage. Cligner des yeux avec une moue de plaisir tout en faisant le son «**i˘e, i˘e, i˘e**».

Le rire du père Noël

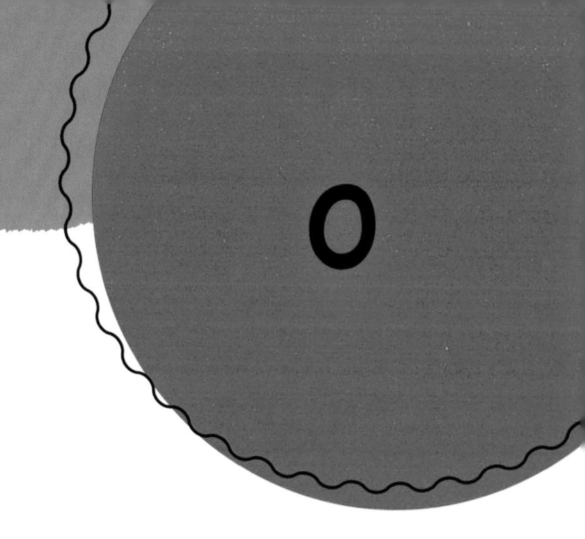

Tous les enfants connaissent le rire du père Noël, même ceux du village des sons.

Tu le connais surement, toi aussi : « o-o-o! Bonjour les petits enfants! o-o-o! »

D'ailleurs, au village, les enfants appellent souvent le père Noël en disant Monsieur **o**.

C'est parce qu'il rit toujours.

Observe la bouche du père Noël lorsqu'il rit. Elle a justement la forme de la lettre **o**.

Quand tu verras cette lettre, pense au rire du père Noël : « o-o-o! o-o-o! »

La lettre **o** fait le son [o].

Suggestion de geste : Mettre la bouche bien en rond pour représenter le **o** tout en imitant le rire du père Noël « **ooo-ooo** ».

Une collation pour le père Noël

Au village des sons, c'est la nuit de Noël. Le père Noël fera bientôt sa tournée pour distribuer les cadeaux. Comme il aura besoin de reprendre des forces, les enfants lui ont préparé une collation avant d'aller se coucher : un biscuit au chocolat en forme de **a** et un verre de lait. En mangeant sa collation, le père Noël dit : « **o-o-o**! Comme c'est bon! **o-o-o**! »

Regarde la collation du père Noël. Vois-tu les lettres **au**? Quand tu verras ces lettres ensemble, rappelle-toi qu'elles font le son [**o**], comme le rire du père Noël : « **o-o-o**! »

Les lettres **au** ensemble font le son [**o**].

Suggestion de geste : Placer les mains en coupe comme le père Noël sur l'image et regarder cette collation imaginaire tout en imitant le rire du père Noël « **ooo-ooo** », la bouche bien en rond.

Le spectateur aux yeux gourmands

Te souviens-tu de la collation que le père Noël a mangée dans le village des sons? C'était un biscuit au chocolat et un verre de lait.

Eh bien! Imagine-toi que, juste avant que le père Noël mange sa collation, quelqu'un la regardait avec des yeux gourmands.

Ce petit spectateur n'a rien dit, mais il a bien failli croquer dans le biscuit qui était tout près de sa bouche. «**ooooo**, comme ça serait bon!» pensait-il en regardant la collation.

Regarde bien l'image. Vois-tu le spectateur qui regarde la collation du père Noël? C'est la lettre **e**. Tu la verras souvent devant les lettres **au**. Mais ne te laisse pas impressionner! Elle ne dit rien. Elle se contente de regarder.

Les lettres **eau** ensemble font le son [**o**].

Suggestion de geste : Placer les mains en coupe comme le père Noël sur l'image, tout en imitant son rire «**ooo-ooo**».

L'oie apprivoisée

As-tu déjà vu une oie? C'est un gros oiseau blanc ou gris avec un long cou. Il y en a parfois dans les fermes avec des poules et des canards.

Au village des sons, il y a justement un fermier qui élève des oies. Il y en a une, sa préférée, qu'il a apprivoisée. «oi-oi-oi», fait le fermier pour l'appeler et, aussitôt, l'oie accourt près de lui en se dandinant sur ses petites pattes.

Vois-tu les lettres **oi** dans le dessin de l'oie? Quand tu verras ces lettres ensemble, souviens-toi du fermier qui appelle sa petite oie apprivoisée: «oi-oi-oi».

Les lettres **oi** ensemble font le son [oi].

Suggestion de geste: Placer les mains en cornet de chaque côté de la bouche pour imiter le fermier qui appelle son oie en faisant «**oi-oi-oi**».

Merci pour le pont!

on

Un jour, au village des sons, un petit bonhomme appelé **o** décide de rendre visite, pour la première fois, à sa petite amie qui habite de l'autre côté de la rivière. Il emprunte donc un chemin menant à la rivière. Mais arrivé sur la rive, il s'aperçoit qu'il n'y a pas de pont. « **on**, **on**… il n'y a pas de pont; **on**, **on**…, mais comment vais-je faire pour traverser? » dit-il découragé, mais bien décidé à se rendre chez son amie.

Heureusement, monsieur **n** qui se promenait justement près de la rivière propose à **o** de l'aider.

En quelques secondes, monsieur **n** s'installe sur les deux rives.

« Le voilà ton pont, dit-il gentiment. Maintenant, tu peux traverser.

— **On**, quelle bonne idée! dit **o**. Merci beaucoup! »

Vois-tu les lettres **on** dans le dessin? Elles font le son [**on**]. Quand tu verras les lettres **on** ensemble, ne dis pas : « **on**… je ne sais pas le son qu'elles font », car maintenant tu le sais!

Les lettres **on** ensemble font le son [**on**] .

Suggestion de geste : Mettre une main sur la bouche comme le personnage de l'histoire et faire des « **onnn** » désolés.

Le grand pont

Un autre jour, le petit bonhomme **o** veut rendre visite à ses amis **b** et **p** qui habitent, eux aussi, de l'autre côté de la rivière. Il espère que monsieur **n** viendra de nouveau l'aider à traverser. Rendu à la rivière, il ne voit pas monsieur **n**. Il dit alors bien fort : « **on**, **on**… il n'y a pas de pont. Je ne peux pas aller voir mes amis **b** et **p**. » Mais qui voit-il arriver à la place de monsieur **n**? Madame **m**! Elle lui fait gentiment un pont pour traverser, un pont juste un peu plus grand que celui de monsieur **n**.

Vois-tu les lettres **om** dans le dessin? Elles font le son [**on**], elles aussi. **m** fait toujours le pont à la place de **n** s'il y a un **b** ou un **p** juste à côté.

Les lettres **om** ensemble font le son [**on**].

Suggestion de geste : Mettre une main sur la bouche comme le personnage de l'histoire et faire des « **onnn** » désolés.

Le fantôme fatigué

Au village des sons, chaque nuit, un vieux fantôme se promène dans les rues en faisant «ou-ou-ou». Mais personne n'en a peur. Tous les habitants savent bien qu'il est trop fatigué pour les poursuivre. Il est si fatigué qu'un de ses yeux reste toujours fermé.

As-tu remarqué que l'œil ouvert et l'œil fermé du fantôme forment les lettres **ou**? Quand tu verras ces lettres ensemble, pense au vieux fantôme fatigué qui fait «ou-ou-ou». C'est tout!

Les lettres **ou** ensemble font le son [ou].

Suggestion de geste : Agiter les bras de façon fluide de chaque côté du corps, comme pour imiter un fantôme, tout en étirant les sons «**ou-ou-ou**».

L'abeille étonnée

Te souviens-tu qu'il y a beaucoup d'abeilles au village des sons? On les entend durant tout l'été: « **zzzzzzzz-zzzzzzzz** ». Lorsqu'elles volent, les abeilles peuvent changer très vite de direction. Heureusement qu'elles en sont capables, car en voici une qui doit faire bien attention de ne pas se cogner sur les voyelles qui l'entourent! « Qui a bien pu lancer ces voyelles dans les airs? » se demande notre abeille étonnée, en bourdonnant comme le font toutes les abeilles: « **zzzzzzzz-zzzzzzzz** ». Pour les éviter, elle vole en serpentant de haut en bas. Si on pouvait suivre ses traces avec un crayon, ça ferait la lettre **s**. Vois-tu la lettre **s** qui représente le trajet de cette abeille dans les airs? As-tu remarqué aussi qu'elle est entourée de voyelles? C'est pour t'aider à te souvenir qu'un **s** avec une voyelle de chaque côté fait toujours le son de l'abeille: « **zzzzzzzz-zzzzzzzz** ».

La lettre **s** fait le son [**z**]
lorsqu'elle est entre deux voyelles.

Suggestion de geste: Tracer un « **s** » dans les airs avec un doigt tout en imitant le bourdonnement de l'abeille « **zzzzzz-zzzzz** ».

La glissade

Durant l'hiver, les enfants du village des sons adorent aller glisser. Dès qu'il y a assez de neige, ils prennent leur toboggan et se rendent au parc où les employés installent chaque année une glissade.

La glissade est très amusante, mais elle est dangereuse aussi. Les parents ont bien averti les enfants: «Glissez **un** à la fois, c'est bien compris? Pas plus d'**un** à la fois.» Ils n'arrêtent pas de le répéter: «**un**, **un**, **un**». Il y a d'ailleurs un gros chiffre «1» écrit sur la pancarte près de la glissade pour que les enfants ne l'oublient pas. Les amis qui veulent glisser attendent toujours leur tour. Ils glissent **un** à la fois, jamais plus.

Vois-tu les lettres **un** dans le dessin de la glissade? Ces deux lettres ensemble font le son [**un**]. Quand tu les verras, rappelle-toi la glissade où il faut glisser **un** à la fois.

Les lettres **un** ensemble font le son [**un**].

Suggestion de geste: Lever un doigt tout en faisant le son «**un**».

La superglissade

Dans le village des sons, cette année, les employés du parc ont installé une glissade encore plus grande qu'avant. Elle est encore plus amusante, mais elle est encore plus dangereuse aussi.

L'autre jour, **b** et **p** attendaient sagement leur tour lorsqu'ils ont vu que les enfants avant eux voulaient glisser ensemble. « Il faut glisser **un** à la fois, ont-ils dit, **un**, pas plus. » C'est écrit sur la pancarte : « 1 ». Heureusement, **b** et **p** étaient là pour leur rappeler le règlement! Les imprudents auraient pu se blesser.

Vois-tu les lettres **um** dans la superglissade? Ces deux lettres ensemble font le son [**un**], elles aussi. C'est juste que le **m** remplace le **n** devant un **b** ou un **p**.

Les lettres **um** ensemble font le son [**un**].

Suggestion de geste : Lever un doigt tout en faisant le son « **un** ».

Un spectacle à l'école

À l'école du village des sons, les élèves préparent un spectacle qu'ils vont présenter aux parents. Certains enfants vont danser, d'autres vont chanter ou réciter une comptine.

Les amis **tion**, eux, ont décidé de faire un numéro de cirque. Ils se pratiquent tous les jours à marcher en équilibre sur un fil de fer suspendu dans les airs.

Un jour, alors qu'ils répètent leur numéro, **t**, qui est le plus habile du groupe, propose de faire une surprise aux spectateurs. Il explique son idée aux autres. « Oui, c'est une idée formidable! disent ses amis. N'en parlons à personne jusqu'au jour du spectacle. » En secret, nos amis préparent leur surprise.

Le jour du spectacle, **tion** commencent leur numéro en marchant en équilibre sur le fil de fer. Soudain, **t** fait semblant de tomber. « Attention! » crient les parents.

Mais voilà que **t** atterrit sur un tremplin qui fait sauter dans les airs un invité-surprise que personne n'avait remarqué! « Attention! » crient encore les parents en voyant **s** s'élever dans les airs et retomber sur le fil à la place de **t**.

Tout le monde était bien surpris que **s** remplace **t** sur le fil de fer. Te souviendras-tu que le groupe de lettres **tion** se prononce [**sion**], exactement comme s'il y avait un **s** à la place du **t**? Alors, attention de ne pas l'oublier!

Les lettres **tion** ensemble font le son [**sion**].

Suggestion de geste : Mimer le « t » de l'histoire en faisant semblant de marcher en équilibre sur une corde, puis faire semblant de tomber. Ensuite, s'accroupir et lever la tête comme pour voir le « s » de l'histoire projeté dans les airs.

Petite face de souris!

Te souviens-tu de la souris **y**, l'acrobate timide qu'on voit toujours de dos? Si elle se décidait enfin à se retourner, à qui ressemblerait-elle à ton avis? À sa cousine la souris **i**, bien sûr! Une souris, ça ressemble à une autre souris!

Imagine maintenant que la souris **y** se retourne alors qu'il y a à côté d'elle un **n** ou un **m**.

Quelles lettres verrais-tu? Tu verrais les lettres **in** ou **im**. Tu connais déjà le son que font ces lettres ensemble : [in]. Comme lorsque les participants appuient sur le bouton dans le jeu-questionnaire à la télévision, te souviens-tu? Ça fait « in! »

Alors, quand tu verras les lettres **yn** ou **ym**, retourne la souris dans ta tête, car elles font le même son que **in** ou **im**. Ne l'oublie pas, hein!

Les lettres **yn** et **ym** font le son [in].

Suggestion de geste : Comme pour le « **in** », c'est-à-dire faire semblant d'appuyer sur un bouton avec la paume de la main tout en faisant le son « **in** ».